PANIQUE
À LA MI-TEMPS
Mika

PANIQUE
À LA MI-TEMPS

Mika

COLLECTION ZÈBRE

1. L'EXCLUSIVITÉ SUR PAPIER RECYCLÉ

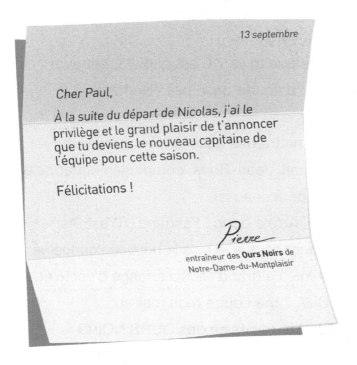

13 septembre

Cher Paul,

À la suite du départ de Nicolas, j'ai le privilège et le grand plaisir de t'annoncer que tu deviens le nouveau capitaine de l'équipe pour cette saison.

Félicitations !

Pierre

entraîneur des **Ours Noirs** de Notre-Dame-du-Montplaisir

Pierre a le chic de tout rendre officiel. Il aurait pu me le dire à la fin de l'entraînement de cet après-midi plutôt que de me remettre cette lettre. Dans une enveloppe crème. Avec une fleur de lys embossée sur le rabat. Il a sans doute collé sa moustache poivre et sel dessus, d'ailleurs… et sa langue… Brrr !

Jean-Bo entre dans la cuisine et m'aperçoit avec
le papier en mains. Il lance son sac à dos dans
le coin et me plaque contre le mur.

— Hey ! le malade !

— Qu'est-ce que tu lis ? C'est quoi ? C'est quoi ?
Une lettre d'amour de la belle Nôôôrrrâââ ?

S'il pouvait mettre des accents circonflexes sur
les R, il le ferait. Jean-Boris, communément appelé
Jean-Bo et parfois aussi...

— Jambon ! Arrête donc ! Fatigant... C'est Pierre
qui m'annonce que je suis le nouveau capitaine
de l'équipe. Le grand Nick a changé d'école et...

— QUE-OUA ? me coupe mon meilleur
ami. Tu es le capitaine des OURS NOIRS
et tu ne capotes PAS PLUS QUE ÇA ?

— Ouin. C'est correct.

Jean-Bo roule des yeux et soupire. Selon lui, tous les
gars – et la fille – de l'équipe se seraient précipités
dans un tas de feuilles mortes en criant de joie comme
des enfants de quatre ans sur un *rush* de sucre
en recevant une telle nouvelle.

— Tu seras un super bon *leader*, l'grôôôs ! me lance
Jean-Bo en me servant une bine sur l'épaule.

L'équipe de football des Ours Noirs de Notre-
Dame-du-Montplaisir est reconnue à travers
le Québec pour être l'une des meilleures (sinon
LA meilleure !) équipes au niveau secondaire.
Le programme est tellement contingenté que
je m'étonne encore d'en faire partie.

J'aime le foot pour la discipline, l'esprit d'équipe,
la stratégie. Jean-Bo, pour sa part, tripe sur le sport
dans sa version en pantoufles dans le salon. C'est
un commentateur hors pair ! Pas moyen de regarder
un match à la télé sans qu'il décrive chaque
mouvement des joueurs.

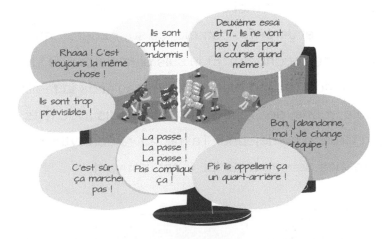

— On les fait, ces devoirs, Pô ? m'attaque Jambon
avec son manuel de mathématiques.

Lui et ses accents circonflexes. On ne les voit pas,
mais on les entend.
— Tu es rendu où, dans ton programme
de maths, Jean-Bo ?

Le bonhomme à lunettes qui me sert d'ami fait l'école
à domicile, avec sa mère. Il est super avancé par
rapport à nous, à la polyvalente. Ma mère l'appelle
affectueusement docteur Doogie. Un personnage
de petit génie devenu médecin à quatorze ans,
dans une émission de télévision du temps
où mes parents étaient jeunes.

Ma sœur jumelle et moi sommes en deuxième
secondaire, et Jean-Bo commence son programme
de troisième secondaire. Et je suis plus vieux que lui.
(De trois mois, quand même !) Comme j'ai de la facilité
à l'école et que, des maths, j'en mangerais avec mes
Cap'n Crunch au déjeuner, j'aime suivre son rythme
et faire mes devoirs avec lui. C'est motivant.

J'ouvre le frigo et j'attrape la collation préparée par ma mère. Une nouvelle création. On a droit à une dose monstre de protéines sous forme d'amandes et de tempeh mariné sur lit de chou rouge avec une vinaigrette balsamique au sirop d'érable. Là est l'avantage d'avoir une mère traiteur. On est loin des craquelins orange chimiques extra-sel à saveur de faux cheddar !

On s'installe à la table de la salle à manger. Une comédie musicale interrompt l'ouverture de nos sacs à dos.

— Allo, allooo, allooooooooo !

Simone ne peut pas tout simplement dire « allo » à son arrivée. Elle doit le chanter.

— Salut, sœur ! Je suis avec Jean-Bo dans la salle
à manger !

Jean-Bo rougit. Ark. Je fais comme si je n'avais
pas remarqué.

La cantatrice entre dans la pièce et m'entoure
de ses bras. Elle est colleuse, ma sœur.
— Vous avez passé une belle journée, les mecs ?
demande-t-elle. Et puis, Jean-Bo, la physique
quantique a-t-elle encore des secrets pour toi,
après tes trois grosses heures d'école à la maison ?
— Pfft ! grimace mon ami en baissant les yeux.
Tu es juste jalouse.
— Moiii ? Jalouse de toiii ? chante Simone.
Hey ! c'est quoi, cette lettre ?

Ma sœur pique l'enveloppe crème et l'ouvre. Elle lit
le message.
— BEN VOYONS DONC, PAUL ! C'est génial !
Tu es le nouveau capitaine ! C'est MALADE !
— Si tu te sens malade, docteur Doogie est là
pour te soigner…

Jean-Bo me fout un coup de pied sous la table.

— Arrête donc, nono ! reprend Simone. Je suis super contente pour toi. C'est clair que tu seras un bon capitaine. Hey ! Grand-maman va CAPOTER !

Je sais… Je pense à elle depuis que j'ai ouvert la lettre. Grand-maman Fernande sera très, TRÈS excitée par la nouvelle…

2. FERNANDE (LA FEINTE)

Fernande Sanscartier est sans contredit la sexagénaire la plus en forme sur terre. Elle est plus énergique que toute mon équipe de football réunie. Si le petit Obélix est tombé dans la potion magique, bébé Fernande a dû faire trempette dans une marmite remplie de multivitamines, de ginseng et d'oméga-3.

Mamie Fernie court plusieurs kilomètres par jour, peu importe la saison. Elle a effectué une dizaine de compétitions Ironman. C'est une machine ! Elle réussit ses *push-ups* sur une seule main, elle excelle dans les *burpees*. Je déteste cet exercice du plus profond de mon être, mais, pour Fernande, cette série de mouvements est la clé pour garder son tonus. Mamie a des abdos en palette de chocolat.

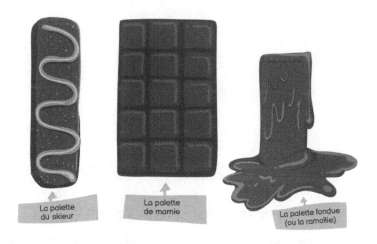

La palette
du skieur

La palette
de mamie

La palette fondue
(ou la ramollie)

Fernande Sanscartier est connue de tous.
Elle a fait les manchettes à l'international il y a
presque une cinquantaine d'années.

Lorsqu'elle a terminé sa dernière année du primaire,
elle est entrée à la polyvalente Notre-Dame-
du-Montplaisir. Le programme de football venait
tout juste d'être instauré à l'école. Malheureusement,
à cette époque, le profil foot n'était proposé qu'aux
garçons… Ridicule ! C'est aussi ce que pensait
ma sportive grand-mère.

À douze ans, comme rien ne l'arrêtait (et que la puberté n'avait pas encore laissé de traces sur son corps de jeune fille), ma grand-mère s'est fait passer pour un garçon. Elle avait ainsi une chance d'entrer dans le programme de football et, un jour, de faire partie de l'équipe des Ours Noirs.

Pendant cinq années, elle a fait sa place au sein de l'équipe (tout en prenant soin de cacher les siens !). Aucun membre de l'équipe, ni les entraîneurs ni les professeurs, ne s'est douté de quoi que ce soit. Fernande était devenue Fernand. Dès qu'elle mettait le pied hors de la maison pour se rendre à l'école ou sur le terrain de foot, elle se métamorphosait. Son père, Rolland Sanscartier, élevait seul sa fille et ne s'intéressait pas tellement à ses études. Il n'a jamais remarqué que, sur les bulletins de sa fille, le E à la fin de son prénom avait disparu...

Ma grand-mère a ainsi passé ses années du secondaire sur le terrain. Elle m'a raconté qu'elle était une super receveuse. Il paraît qu'elle courait comme une gazelle, qu'elle volait presque. Les joueurs des équipes adverses qui tentaient de l'intercepter étreignaient l'air la plupart du temps : elle était trop rapide.

J'ai lu dans de vieux journaux que Fernande avait été nommée à plusieurs reprises joueur élite à différents niveaux : peewee, bantam et midget. Elle et sa fausse moustache étaient de véritables vedettes ! Mais au milieu des années 1970, le Québec entier a appris brutalement qui elle était réellement. Un grave accident, survenu sur le terrain dans les dernières secondes d'un match important, a tout fait basculer.

Les Ours Noirs affrontaient la redoutable équipe des Rough Spiders de Saint-Bartholomé. L'équipe de Fernande perdait 38 à 34. La tension était palpable. Les Ours avaient le ballon en leur possession et jouaient le tout pour le tout. Un lancer. Une course. Une violente collision. Le casque de ma grand-mère s'était cogné solidement contre celui d'un défenseur de six pieds quatre pouces, deux cent cinq livres. Les deux joueurs ont vu des étoiles et ont perdu connaissance.

On craignait le pire, alors ils ont été transportés
à l'hôpital. Les secouristes ont fait des manœuvres sur
Fernande et ils ont rapidement constaté la véritable
identité de ma grand-mère. Le bandage qui serrait
sa poitrine et sa fausse moustache ne berneraient
plus personne. Fernand avait regagné son E à la fin
de son prénom.

À la suite de l'annonce de cette nouvelle, un scandale
a éclaté. Certaines personnes étaient outrées,
mais le courant féministe était bien ancré, et mamie
prouvait hors de tout doute qu'une femme avait
la force nécessaire pour atteindre ses rêves.

On a fait un débat sur la place publique. Fernande
Sanscartier pouvait-elle, oui ou non, retourner

dans l'équipe de football régionale ? Les femmes devraient-elles avoir les mêmes chances que les hommes ? Après des mois de travail acharné et plusieurs démarches appuyées par des gens ayant à cœur la cause des droits des femmes, ma grand-mère avait gagné.

Les jeunes filles pouvaient désormais avoir accès aux disciplines sportives autrefois destinées seulement aux garçons. Elles devaient se soumettre aux mêmes évaluations et avoir les mêmes chances que les garçons. Pas plus, pas moins.

Après sa violente commotion cérébrale, mamie a décidé d'être plus raisonnable...

Ha ! ha !

Non.

Elle a continué de jouer au football. Elle est
même devenue entraîneuse pour les Ours Noirs
et a remporté avec eux quatre championnats.
C'est un record inégalé à ce jour pour un *coach*.

Une autre de ses grandes réalisations : elle a donné
naissance à deux enfants. Elle a d'abord eu Ruby,
ma mère. Et treize ans plus tard, Fernande a donné
naissance à Serge, mon oncle qui a à peine
dix ans de plus que moi. Ruby s'appelle ainsi
parce que ce prénom sonne comme Rugby.
Et Fernande a nommé Serge ainsi parce que
ça ressemble à… verge.

Mon oncle lui en veut encore.

3. FOOT ET TRUITE (L'ENTRAÎNEMENT)

Mon oncle Serge, malgré ses vingt-trois ans, est directeur du Service de compostage de la Ville.
Il n'a pas la fibre sportive de sa mère, mais il a hérité de sa vivacité et de son esprit logique. À Lac-à-la-truite-arc-en-ciel, le mégacentre écologique fait rouler une bonne partie de l'économie locale. Près du quart des habitants ont un boulot en lien avec l'établissement. Certaines rumeurs rapportent que l'écocentre prendra de l'expansion et devra trouver un emplacement grand comme quatre terrains de football !

Serge travaille avec la mère de Nora Pereira, la meilleure receveuse de mon équipe. Maria Pereira est responsable du développement du réseau 4RC (réduire, réparer, réutiliser, recycler, composter). Il paraît qu'elle est l'une des instigatrices du mégaprojet d'agrandissement du mégacentre écolo.

Les rumeurs dans une ville de huit cent quatre-vingt-seize habitants, ça se propage aussi vite que disparaît une boîte de petits gâteaux Vachon chez mon coéquipier Max Letendre : TRÈS vite. Mais moi, je sais de source sûre que ces rumeurs sont fondées.

Durant nos échauffements, Nora me parle souvent d'écologie et d'environnement. Ce sujet l'allume beaucoup !
— Ils vont agrandir le centre, tu savais ? me dit Nora en étirant ses quadriceps, ses cheveux volant au vent comme dans une pub de shampoing au miel.

Le shampoing qui colle à tes cheveux !

*Peut causer une dépendance chez les ours.

Les pieds écartés et le torse penché vers l'avant,
elle dépose ses mains au sol, puis poursuit :
— Les membres du comité qui travaillent avec
    ma mère cherchent un terrain d'au moins
    vingt-cinq mille mètres carrés pour le projet.
    Les options sont limitées à l'intérieur de la ville…
    L'écocentre va accueillir les déchets d'au moins
    six municipalités voisines plutôt que de les
    exporter dans des pays étrangers ! Nous aurons
    les infrastructures ici même pour les transformer
    en nouvelles matières, et tout ça, en ne générant
    AUCUNE pollution ! Ce sera GÉNIAL ! J'y travaillerai
    durant les prochaines vacances d'été.

J'intercepte son engouement comme elle sait si bien attraper un ballon :

— C'est bien beau, tout ça, mais je ne pense pas que la ville ait une telle superficie à offrir pour l'emplacement du nouvel écocentre...

Nora sourit. Ses yeux fermés ressemblent à ceux des mangas trop heureux.

En courant sur place, les genoux hauts, elle renchérit :

— Mais t'imagines, Paul, Lac-à-la-truite serait la première ville au Québec à produire la matière recyclée. La première au CANADA, même !

On sauverait une partie de la planète, *dude* !

Dude ? OK...

À ce moment, Pierre siffle le début de l'entraînement... On prend position et on joue le premier quart. Francis et Max sont en forme, ce soir. Nora aussi... elle fait de super belles réceptions. J'effectue un lancer de soixante verges... ce n'est pas si mal. En réalité, c'est mon principal atout au foot : mon bras.

Seul le gauche a hérité des fibres musculaires magiques de ma grand-mère. Le reste de mon corps a le tonus d'un Ficello.

À la fin de l'entraînement, Nora vient me parler de nouveau du projet de l'agrandissement de l'écocentre. Si cette fille ne devient pas joueuse professionnelle de foot (elle est aussi douée que ma grand-mère l'était, j'en suis convaincu !), elle sera politicienne ou avocate pour les causes environnementales. Elle ne lâche pas le morceau facilement.

La majorité des résidents de Lac-à-la-truite-arc-en-ciel sont soucieux de la qualité de l'air et de la santé de la planète. Il faut dire qu'il y a plusieurs années la ville a bien failli mourir à cause de la pollution du lac. Un village voisin y avait déversé des barils de déchets toxiques à l'insu de tous durant des semaines... Résultat : il n'y avait plus aucune vie dans le lac. Les truites n'étaient plus arc-en-ciel, elles étaient vergrunes (verte-grise-brune) et flottaient à la surface de l'eau. C'était terrible !

Une vision apocalyptique ! Depuis ce jour, la protection de l'environnement est une priorité à LÀLTAEC.

Après des mois de travail acharné de décontamination, nous sommes parvenus à retrouver notre lac tel qu'il était auparavant. Des spécialistes ont travaillé fort, ils ont ensemencé le lac, et les truites sont revenues !

Ici, tout le monde voyage en voiture électrique ou à vélo. Même l'autobus des Ours Noirs, qui nous conduit à nos parties à l'extérieur, possède un moteur électrique.

Quand les autres équipes débarquent avec leurs gros autobus puants et polluants, les habitants fusillent leurs pneus du regard.

À Lac-à-la-truite-arc-en-ciel, on ne badine pas avec la protection de l'environnement. Ni avec le football ! Ni avec l'école centenaire Notre-Dame-du-Montplaisir ! Ce sont nos trois joyaux. Tellement qu'ils forment l'emblème de la Ville.

4. RÉUNION SANS CRAVATE NI DÉO (L'ÉCHAPPÉE)

Les jours s'enchaînent à la vitesse à laquelle
Max engouffre les hot-dogs et les épis de maïs
un après-midi d'août. Octobre a cogné à nos portes.
Les arbres se dénudent sans gêne alors que le sol
se couvre parfois de givre la nuit. La saison de football
se déroule comme un examen de sciences enrichies
pour Jean-Bo : super bien, du beurre dans la poêle,
de l'eau sur le dos d'un canard. Les Ours Noirs
sont bien positionnés dans le classement régional.
Nous maintenons notre deuxième place, quelques
points derrière les Guépards de Champs-des-Vallées.
Si la nature ne se déchaîne pas trop, il nous reste deux
semaines de jeu, sept entraînements, deux parties.
Tout est possible…

Si tout se passe bien sur le terrain, dans les corridors
de l'école, c'est autre chose. L'ambiance est
particulièrement étrange depuis quelques jours.

Ce matin, on a un cours d'anglais avec
madame Bastien.

— As-tu remarqué ? me demande Bobby Duranceau,
notre receveur étoile. Les profs cessent de parler
quand on marche près d'eux… Et ils se retournent
pour éviter qu'on comprenne quand ils chuchotent.
Ils sont *weird*…

— C'est vrai, hein ? lance Nora en se glissant entre
nous deux.

Elle plonge la main dans mon sac de légumes et pique
une courgette qu'elle trempe aussitôt dans mon petit
pot d'houmous au cari.

Elle ajoute en haussant le ton :
— Ils sont bizarres, les profs !

Monsieur Boutin et madame Veilleux écarquillent
les yeux et sourient timidement.

Nora, Bobby et moi pouffons de rire.

Nous sommes les premiers à entrer dans la classe
d'anglais. Madame Bastien discute au cellulaire.
En nous voyant arriver, elle nous tourne le dos.
On l'entend à peine chuchoter, mais on comprend
qu'elle parle en anglais.

On attrape des bribes de sa conversation :
— *We still don't know... I don't want to move out*[1]*...*

D'autres élèves entrent. Notre enseignante termine
sa conversation et dépose son cellulaire sur le coin
de son bureau, près de sa tasse de café. Elle semble
perturbée, ses yeux et son nez sont rougis et bouffis.

Nora s'approche :
— Je suis certaine qu'il y a un lien avec tout ce qui se
    passe d'étrange dans l'école depuis quelques jours !

_____

1. Nous ne savons toujours pas... Je ne veux pas déménager...

Max ajoute :

— Arrête ! Tu vois des complots partout !
Miss B. vient peut-être juste d'apprendre
qu'un de ses cinquante-trois chats est mort !

Nora inflige un coup d'étui à crayons sur l'épaule
du gros défenseur. Madame Bastien nous demande
de nous calmer, puis elle commence le cours.

***

À la fin de l'après-midi, les élèves du programme
de football se dirigent vers la cafétéria. On s'installe
aux tables. C'est la période de détente et de souper
précédant notre dernier entraînement avant le gros
match de samedi contre les Guépards. Je sens
la nervosité des gars. Je dis les gars, parce que Nora,
elle, semble totalement zen, ses écouteurs sur les
oreilles et le nez dans ses livres.

Bobby révise ses maths en secouant la jambe droite. Zack se ronge les ongles jusqu'à la deuxième phalange. Max étudie pour le contrôle d'anglais en mastiquant compulsivement sa gomme, comme s'il s'agissait de la dernière chique de sa vie.

— Hey, *BIG* ! l'interpelle Vincent qui passe derrière lui. Ferme ta bouche quand tu mâches, c'est dégueu.

Max tourne la tête, se lève du haut de ses six pieds un pouce et de ses deux cent quinze livres.
Sa colonne se déroule comme une flûte d'anniversaire en papier. On dirait qu'il ne finit plus de s'élever.
Le géant mastique sa gomme avec effets sonores prononcés. Il souffle une bulle presque aussi grosse que le visage de Vincent et vient l'appuyer sur le nez de ce dernier. Elle éclate.

Toute l'équipe rit. L'atmosphère se détend enfin.

***

On entre sur le terrain. Le sol gelé craque sous nos crampons. On s'échauffe avant de commencer.

On propulse le ballon entre les flocons. L'équipe est nerveuse à l'idée d'affronter les Guépards dans deux jours. Nous sommes plusieurs à faire des erreurs techniques.

Les Guépards de Champs-des-Vallées sont réputés pour jouer salement. Quand ils sont à court de stratégie, ils font des coups de cochon, ils blessent leurs adversaires.

J'y ai déjà goûté. Heureusement, cette fois-là, l'arbitre avait vu ce qui s'était produit. Parce que les Guépards sont aussi reconnus pour camoufler leurs manigances. Et il n'y a pas de reprise vidéo ! Henri Tétrault avait hérité d'une expulsion pour le reste du match. Et moi d'une entorse à l'épaule droite.

J'effectue quelques lancers, Bobby les attrape
la plupart du temps, mais Vincent a les mains
glissantes ce soir. Et ce n'est pas la faute de ses
gants. Faudra jouer mieux samedi soir, parce que
les Guépards seront sans pitié.

Dès que notre jeu dérape un peu, Pierre nous
ramène à l'ordre et nous donne des trucs. Il est
anxieux. Lorsque nous avons terminé, l'entraîneur
à la moustache gelée nous convoque pour une petite
réunion à l'intérieur.

Quand j'entre dans le vestiaire, quelque chose me
frappe. Ce n'est pas la carrure de Max ni les fesses
de Matthew (jamais vu quelqu'un d'aussi peu pudique !).
Non. L'odeur ! Ouache ! Ce n'est pas un détail qui
me dérange habituellement, mais, ce soir, une odeur
de fauve en rut en train de rôtir au soleil émane
de la pièce. Apparemment, plusieurs gars se sont dit
que le déodorant n'était pas nécessaire quand il fait
moins deux degrés Celsius sur le terrain. Erreur.

Nora passe devant le vestiaire des gars.

— Nora ! l'interpelle Pierre. Viens ici, j'ai à vous parler.

Elle s'approche avec son sac de sport sur l'épaule
et s'appuie contre le cadre de porte. Pierre sort son
cahier et nous gribouille une stratégie.

— Ça, gang, ÇA, c'est gagnant ! Un *flea flicker* !
On ne l'a jamais fait avant, les Guépards ne nous
verront pas venir ! Pour y arriver, Paul, tu vas
remettre le ballon à l'arrière gauche, à Matt.
Matt fait une feinte de course et redonne le ballon
à Paul qui le passe aussitôt à Sam.

Euh... QUI est Sam ?

Pierre répond aux points d'interrogation dans
nos yeux :

— Sam... est un nouveau joueur.

En tant que capitaine, je me permets :

— Un nouveau joueur à deux semaines de la fin
de la saison, *coach* ? Il me semble que
ce n'est pas ta meilleure idée...

OK. Je m'en suis peut-être trop permis. Les poils de la moustache dégoulinante de Pierre ne sont pas assez longs pour cacher son mécontentement quant à ma remarque.

— Faites-moi confiance, nous dit-il en m'adressant un regard vexé. On a encore une chance de remporter la coupe cette saison, mais pour y arriver, on DOIT gagner samedi. Je suis allé chercher Sam, un ancien joueur vedette des Vikings de Saint-Jean-Baptiste. Il s'est blessé quelques mois plus tôt, mais il est prêt à revenir au jeu. Les Guépards le voulaient dans leur équipe, mais c'est nous qui l'avons eu !

La susceptibilité dans l'œil de Pierre fait place à de la fierté... puis à un autre sentiment que je ne saurais décoder.

— On se revoit demain, les gars. Nora, viens ici...

Elle s'approche de l'entraîneur, un peu craintive. Pierre sort une enveloppe crème d'entre les pages de son cahier de stratégies et la remet à notre coéquipière. Il échange tout bas quelques mots avec elle, puis il sort.

Les autres joueurs quittent aussi le vestiaire. Je fais semblant de prendre mon temps pour ranger mon équipement. Nora et moi sommes seuls dans la pièce. Elle n'ose pas ouvrir l'enveloppe. Je lui lance :
— Hé ! je parie que c'est pour t'annoncer que tu deviens la capitaine ! Tu es meilleure que moi !

Je lui fais un clin d'œil pour la rassurer en plaçant mes épaulettes dans mon sac. Nora est figée là, au milieu du vestiaire encore un peu puant, avec l'enveloppe en mains. Mille scénarios doivent se bousculer dans sa tête.

Je m'approche d'elle. Nora tourne le dos et ouvre l'enveloppe.
— QUOI ? crie-t-elle. Ça ne se passera pas comme ça !

Nora, en furie, chiffonne la lettre et la catapulte
dans la poubelle. Elle sort d'un pas déterminé, sans
me regarder. Je crois même avoir entendu un « Maudit
gros moustachu plein de soupe ! » au loin.

Je tasse une pelure de banane noircie et je récupère
le papier froissé.

19 octobre

Nora,

J'ai le regret de t'annoncer qu'à partir de ce
jour tu deviens joueuse substitut au sein de
l'équipe. C'est une décision stratégique
prise pour le bien des Ours Noirs. Tu es
une bonne joueuse, mais nous avons
besoin d'un peu plus de puissance sur le
terrain.

J'espère que tu comprendras notre décision.

Pierre

entraîneur des **Ours Noirs** de
Notre-Dame-du-Montplaisir

5. COACH VA TROP LOIN (TRAVERSER LA LIGNE DES BUTS... SANS BUT)

J'ai tourné dans mon lit toute la nuit. Comment Pierre a-t-il pu faire ce coup à Nora ? Je ne comprends pas sa décision. Nora est meilleure que la majorité des gars de l'équipe. Pierre le sait, je le sais. Ce qui s'est produit hier est inacceptable.

Et puis, c'est qui, Sam ?

Six heures quarante-cinq. La soudaine noirceur matinale d'octobre est cruelle. Mon corps ne comprend pas qu'il doit se lever. En tant qu'Ours Noir, je revendique le droit d'hiberner. Qu'on ne me parle plus jusqu'en avril !

Garfunkel, notre matou roux mi-Garfield, mi-funky avec son poil semi-frisé, est couché en colimaçon dans le creux de mon dos. Rien pour m'aider à me lever.

Bon. Il faut affronter cette dernière journée d'école avant le match contre les puants Guépards de Champs-des-Vallées. Dire que, plus tôt cette semaine, j'avais hâte que les Ours se mesurent à eux…

Je descends à la cuisine où flottent déjà des odeurs de cannelle et de chocolat. Ma mère et ma sœur fourmillent autour des fourneaux et préparent leurs fameux muffins pour demain.

Ma mère s'implique toujours dans la cantine lors de nos parties de foot. Elle fait ses propres croustilles et, je dois l'admettre, ça goûte mille fois meilleur que ce qu'on trouve au dépanneur. Ses fines patates cuites dans l'huile d'olive et d'avocat sont un succès à tout coup !

CHIPS DE PATATES MAISON   6 $
SAVEUR
À LA BRISE DU MATIN
FAUX-FILET GRILLÉ AU MISO, CÈPES,
SHIITAKES ET POLENTA CROUSTILLANTE   8 $
SALADE DU JARDIN À   9 $
LA GUIMAUVE ROSE

CHIEN CHAUD FROID   3 $

LES FAMEUX MUFFINS TROP BONS   3 $

Ma mère se charge donc de la cantine (qui a plus
des allures de bistro grâce à elle), et ma sœur
s'occupe du spectacle de la mi-temps avec son
groupe de musique, Les Doubops. Tandis qu'elle
enfourne les muffins, je l'entends répéter une des
trois chansons qu'elle interprétera. En me voyant
entrer dans la cuisine, elle change de répertoire :

— Ah ! bah ! Qui voilà ? chante ma sœur. C'est mon
frérot ! Celui qui est né quatre minutes plus tôt !
Le plus fin, mais pas le plus beeeeeau !

— Hey ! ça veut dire que tu n'es pas belle !

Touché ! Nos chromosomes jumeaux ne mentent pas.
On se ressemble encore beaucoup, Simone et moi,
même si ses cheveux sont plus clairs et que sa tête
dépasse légèrement la mienne.

— Mais non, je te niaise, tu sais ben.

Tu es le plus beau !

— C'est vrai ! bondit ma mère qui sort de sa bulle
pâtissière. J'ai parlé au père des deux plus beaux,
hier soir sur Skype. Il arrive demain matin, juste
avant le match ! Il a fait déplacer sa dernière
réunion d'affaires pour être avec nous.

C'est génial, non ?

Ce match est attendu de tous, et mon père ne fait
pas exception. Il adore l'esprit tactique du football.
Selon lui, il n'y a pas un sport plus stratégique.
Adolescent, il a remporté plusieurs tournois d'échecs
à l'échelle du pays.

« *Football is chess with blood*[2] », dit mon père.
Il est anglophone.

---

2. Le football, c'est une partie d'échecs avec du sang.

Mon père, Will Winchester, travaille pour une énorme
firme de génie informatique et il voyage souvent
à l'étranger.

La porte d'entrée s'ouvre. Il n'est que sept heures…
Qui peut bien venir ici aussi tôt ?
— Coucou !
— Sâââlut !

Mamie et Jean-Bo entrent ensemble.
— Beau petit couple, Jean-Bo. Je ne savais pas
     que tu trouvais ma grand-mère de ton goût !
— Gna ! gna !
— Salut, mamie ! Tu arrives de bonne heure ! Mais
     toi, qu'est-ce que tu fais ici, Jambon ? Tu peux
     TELLEMENT dormir le matin, toi !

— Hey, Paulô, ce n'est pas de ma faute, c'est l'odeur des muffins de ta mère qui est venue me chatouiller les narines jusque dans mon lit.

Ma mère sourit et tend un échantillon raté à mon ami en manque de subtilité et de sucre.

Ma grand-mère fait un câlin à sa fille et à ma sœur. Elle me donne un baiser sur la tête, suivi d'une bine musclée sur l'épaule.

— Es-tu prêt pour demain, mon *QB*[3] ? Je suis venue te chercher, je vais seconder ton *coach*. On vous a préparé un super entraînement pas trop exigeant, mais très formateur, pour que vous soyez les meilleurs contre les Guépards !

— Pierre a déclassé Nora. Elle est remplaçante.

— Pourquoi ?

---

3. *QB*, abréviation de *quarterback*, quart-arrière.

— Je ne sais pas ! Pierre a simplement dit qu'il voulait plus de puissance sur le terrain…

— PARDON ? explose Fernande. Prends ton muffin, ton fromage, ton smoothie, ton lunch, pis… pis… toutes tes affaires, on va voir Pierre.

— Il est trop tôt, il n'est même pas encore arrivé à l'école !

Mamie ne m'entend plus et m'attend déjà dans la voiture.

6. LE FEU DE FERNANDE (LA ZONE ROUGE)

Fernande roule en direction de l'école à toute allure. Soixante-treize kilomètres à l'heure dans une zone de trente. Ses narines s'élargissent, l'écume s'échappe du coin de ses lèvres, ses yeux s'injectent de sang. J'exagère à peine.

— Ça ne se passera pas comme ça.

Elle appuie sur un bouton du tableau de bord de la voiture pour activer la commande vocale.

— Appelle Pierre.

— Vous avez dit : « Appeler Claire. » Est-ce exact ?

— Non ! A-PPE-LER PI-È-REEEE !

— Vous avez dit : « Appels d'hier. » Est-ce exact ?

— AAARRRG ! Non ! Laisse faire !

— Vous avez dit…

BI-BIP !

Le temps que mamie a passé à s'obstiner avec
le système vocal, nous sommes arrivés à l'école.
Elle gare la voiture de manière cavalière, sort
et claque brutalement la portière.

Je crois comprendre comment elle se sent. Elle doit
revivre les mêmes frustrations qu'à son époque.
Cette période de sa vie où on lui disait que le foot,
ce n'était pas pour les filles.

Je la rattrape.
— Mamie ! Attends !

Elle court vers l'entrée de l'école
et se retourne à peine.
— MAMIE !

Je la prends par l'épaule.

— Je suis d'accord avec toi, lui dis-je. Pierre
n'a aucune raison de mettre Nora à l'écart...
Elle est excellente ! Elle court super vite et...
elle est plus douée que moi.

Son regard s'adoucit. On respire un instant.
Elle me serre le bras avec compassion... Parce que
je comprends la situation ou parce qu'effectivement
ma grand-mère trouve aussi que Nora est meilleure
que moi ? Je ne le saurai jamais.

Une fois dans l'école, mamie file vers le secrétariat.
Elle connaît bien les lieux, elle a étudié et enseigné ici.
Elle tient à avoir une discussion avec la directrice
et avec notre entraîneur. Les professeurs que
l'on croise chuchotent et nous dévisagent comme
si nous avions des restes de jaune d'œuf entre les
dents... ou dans le coin des yeux.

— Va te préparer pour ton premier cours, Paulo. Je
vais voir ce que je peux faire avec madame Leblanc.

***

Fernande Sanscartier a la réputation d'être très convaincante, mais, ce matin, les démarches n'ont servi à rien. Il paraît qu'elle était en furie, qu'elle a levé le ton (les rumeurs courent vite dans une école de cent vingt-trois élèves) et qu'elle a même traité Pierre de poisson pourri. À Lac-à-la-truite-arc-en-ciel, c'est l'insulte ultime ! Pierre avait déjà procédé à la transaction, et madame Leblanc appuie aveuglément l'entraîneur.

L'équipe a reçu l'ordre de se reposer avant le grand match de demain. Nous nous sommes entraînés durant la troisième période. Mamie est partie après sa visite éclair dans le bureau de la directrice. Pas de Fernande, pas de Nora sur le terrain. Ce dernier m'a semblé vide… Les autres joueurs ont fait comme si de rien n'était. Ils ont repris le contrôle et sont prêts à affronter les Guépards.

Le nouveau joueur, Sam, était là. Un colosse barbu de six pieds deux, deux cent vingt livres. Pas que du muscle. Son chandail numéro 74, cruellement trop ajusté, ne laissait rien imaginer quant à ses courbes opulentes. Il ne devrait même pas jouer dans notre catégorie.

Après une partie d'échecs avec Jean-Bo et quelques cuillères de tartare de saumon et pomme grenade (vive ma mère !), je me suis couché tôt pour me relever douze heures plus tard.

***

Nous y sommes. La fébrilité est à son comble sur le terrain. Les Guépards nous jettent des regards de feu de leur côté du terrain. On les sent, à soixante verges de distance.

Tous les joueurs se sont dessiné un large trait noir sous les yeux. Ce n'est pas tant pour atténuer les reflets du soleil ni ceux des regards de feu. Avouons-le. C'est surtout pour avoir l'air de grosses brutes qu'on se maquille ainsi.

Les joueurs des équipes sont gonflés à bloc. Les partisans dans les gradins sont déchaînés. Aucun siège n'est libre, plusieurs spectateurs se tiennent même debout. Je crois que tous les habitants de Lac-à-la-truite-arc-en-ciel se sont déplacés pour assister à cette partie, en plus des partisans de l'équipe adverse.

Ke-clong ! Ke-clong ! Ça en fait, du bruit, des bâtons gonflables !

— WAH ! Paul ! lance Max en courant vers l'équipe avec un muffin aux framboises à la main et un deuxième dans la bouche. Les gâteaux de ta mère sont DÉBILES !

Les gars rient. Je souris. J'ai plus ou moins le cœur à la fête. Je cherche Nora dans la foule. Je ne la vois pas...

Au signal du *coach*, on se rassemble en cercle pour le caucus d'avant-match.

— OK, mes Ours ! dit Pierre. On donne tout ce qu'on a. Je vous le répète : c'est un match TRÈS important ! Et ils sont en forme ces jours-ci, les rats des champs... Je veux dire les Guépards de Champs-des-Vallées. Ils jouent dur, vous le savez. Mais vous êtes aussi forts qu'eux. Et vous avez l'avantage d'utiliser ça... ici.

Il pointe ses méninges.

Tiens, c'est drôle… On dirait que Pierre ne l'a pas utilisée, sa logique, lui, quand est venu le temps d'exclure de l'équipe une excellente joueuse. Sam n'est pas meilleur que Nora. Le « talent » du colosse ne justifie certainement pas l'échange… Je continue de croire que c'est une décision très étrange.

Des cris démentiels me tirent de mes pensées.

C'est Jambon, avec sa monture de lunettes « spécial fête », mauve à l'avant et zébrée sur les branches. Il sautille en brandissant son énorme flûte de carnaval rouge dans les airs. Il est installé derrière la console de son et sera le commentateur de la partie. Heureusement, son micro n'est pas encore branché !

Un peu en biais derrière lui, j'aperçois sa famille, ma grand-mère et son amie Pierrette, debout, qui nous encouragent déjà. J'ai beau chercher, je ne vois Nora nulle part... Oh ! mon père est arrivé ! C'est vrai ! Son avion s'est posé il y a moins d'une heure ! Il rejoint ma mère, l'embrasse, puis lui donne un coup de main à la cantine. Les gens sont encore en file pour se procurer des grignotines.

Je salue mon père de loin, il me fait de grands signes en retour pour me motiver.

— Hum ! hum ! grogne Pierre pour attirer mon attention.

Il faut que je me concentre. Notre entraîneur poursuit :

— Et, les gars... Hé ! c'est le *fun*, maintenant je peux dire « les gars ! » sans vexer personne ! Ha ! ha !

ARK-E ! Il vient vraiment de dire ça, le moustachu ?

— Mais non, je blague… Les gars, n'oubliez pas
le *flea flicker*, ce n'est pas pour tout de suite…
On va commencer par les déstabiliser avec
une feinte de jeu aérien à notre premier essai.
Bobby, tu vas dans la zone quarante. Paul,
tu simules une passe à Bobby, mais tu remets
le ballon à Matt. Sam, tu couvres Matt.
Tu ne laisses personne l'approcher ! Tu bloques
principalement les numéros 49 et 55, ils sont
terribles. C'est bon, gang ?

— OUI, *COACH* !

— Super ! Ours Noirs pour la victoire ! *GO !*

7. ÇA VA SAIGNER...
EUH... SWINGNER !
(UNE BOMBE À LA MI-TEMPS)

— Bienvenue, tout le monde ! Ici Jean-Boris Côté
à l'animation pour ce grand match, que dis-je,
ce match ULTIME opposant les Guépards
de Champs-des-Vallées et les Ours Noirs
de Lac-à-la-truite-arc-en-ciel !

La foule en délire nous encourage et réclame
le début du jeu.

On entend le signal pour le placement.

José Torpellino, de l'équipe adverse, assure le botté
d'envoi. Le grand numéro 12 se positionne, trépigne
et botte le ballon plus haut que loin.

C'est parti ! Zack attrape le ballon et court à la vitesse
de la lumière. Il se faufile entre les joueurs de l'équipe
adverse et réussit à se rendre jusqu'à la ligne
du centre, avant de se faire plaquer.

C'est à mon tour et, là, je donne tout ! Je lance
une fusée que Vincent attrape aisément. Au troisième
jeu, c'est un touché !

La partie se poursuit à un rythme effréné. La foule
est en délire et applaudit chacun de nos bons coups.
Et lorsque les Guépards marquent, la majorité des
spectateurs scandent le nom d'un légume aux feuilles
vert tendre.

Le foot, c'est du sérieux pour les Lac-truitois !

Le deuxième quart se termine et nous menons
avec 28 points contre 17. Les partisans des Ours
Noirs se lèvent pour nous féliciter, alors que les
sympathisants des Guépards quittent les gradins
pour se dégourdir les jambes.

Des techniciens installent rapidement une petite scène sur le terrain pour la mi-temps. Ma sœur est nerveuse… je le sens. Partager un utérus pendant neuf mois, ça crée des liens.

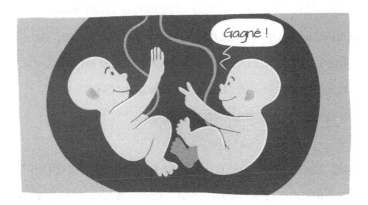

Durant les préparatifs pour le spectacle, Jean-Bo fait un peu d'animation et commente les images diffusées sur le grand écran.

— Automobiles Poitras vous offre le véhicule de VOS rêves. Une moto hybride métallique ou une décapotable violette électrique ? Pourquoi pas ? Chez Automobiles Poitras, si vous pouvez l'imaginer, ON L'A ! Y a-t-il une Linda, dans l'auditoire ? Caméraman, va dans la section G trouver la belle Linda au manteau rouge, s'il te plaît… Oui… la voilà ! Linda, Linda,

Linda… le petit monsieur à tes côtés aimerait
te faire une demande bien spéciale… LINDA…
VEUX-TU ÉPOUSER ROBERT ?

— OHHHHH !

— CHER PUBLIC, je pense que notre Bob vient
de marquer un *TOUUUUUUCH DOWN* avec sa
bellaaa Lindaaa ! FÉLICITATIONS, les amoureux !
J'accepte d'être le parrain de votre premier
chérubin, si le cœur vous en dit !

La foule applaudit. Jean-Bo est en feu aujourd'hui !
Je vois Simone qui monte sur scène avec son groupe
de musique. Jimmy, à la guitare, donne le coup d'envoi
à la première chanson.

Pour accompagner la musique romantico-quétaine, ma sœur a préparé des vidéos que Fred, à la technique, projette sur le grand écran. Elle a effectué des montages sur l'ordinateur de papa, avec des photos et des extraits de mises en scène qu'elle a faits avec les musiciens de son groupe et... Jean-Bo ? Le cachottier !

Soudain, la vidéo de Simone s'arrête sec. Les musiciens prennent quelques secondes pour réaliser ce qui se passe. On entend des bruits étouffés provenant d'une nouvelle vidéo. La musique s'estompe, un instrument à la fois, Simone ne chante plus.

Tous les spectateurs cessent de parler et fixent l'écran. Une voix saccadée s'élève :

L'école est en danger... La bâtisse tombe en ruine.

Tout le monde reconnaît le ton de la directrice !
Perrrsonne ne rrroule ses R comme elle.

Je sais, mais nous n'avons plus le choix.

La santé des élèves est à risque !

Tout est à refaire! On crève en juin, on gèle en hiver !

Il faudra diviser tous les élèves et les répartir dans trois autres écoles...

Après le congé des fêtes de fin d'année, la polyvalente Notre-Dame-du-Montplaisi sera démolie... démolie... démolie... démolie...

8. RETOURNEMENT DE SITUATION
(PROCÉDURE ILLÉGALE)

Démolie. L'écho de ce mot flotte et prend des airs
de nuage noir au-dessus de nos têtes.

Trois syllabes qui figent tous les habitants de Lac-
à-la-truite dans le temps. Trois couteaux marquant
une blessure sur l'âme de la ville.

On dirait qu'une bombe vient de tomber sur le terrain.

J'observe les gens dans les gradins. Certains sont
bouche bée, figés, d'autres semblent en colère.
J'aperçois même Josette qui agite un éventail devant
le visage de Pierre-Henri, notre concierge,
qui a perdu connaissance.

La polyvalente sera démolie… dans moins de trois mois ? Comment est-ce possible ? Tout le monde sait combien cette école est précieuse pour la ville. Personne ne veut la démolir !

Pendant que nos vies sont sur pause, les joueurs de l'équipe adverse protestent et veulent que le match continue.

Ma sœur et les musiciens de son groupe sont sous le choc. Les techniciens viennent récupérer le matériel de la scène pour rendre la place aux joueurs pour le reste de la partie.

Notre entraîneur, qui n'a pas l'habitude d'avoir la langue dans sa poche, est sans mot. Nous le sommes tous. Je prends la parole :

— OK... je ne sais pas ce qui vient de se produire,
ça se bouscule dans ma tête... On réfléchira
à tout ça APRÈS le match ! Là, nous avons
une partie à gagner !
— Est-ce que ça se peut que ce soit une tactique
des Guépards pour nous déconcentrer ?
demande Matthew.

Pierre se racle la gorge et s'exprime pour la première
fois depuis que la bombe est tombée.
— La rumeur court depuis un certain temps...
mais JAMAIS je n'aurais cru qu'on nous l'aurait
appris de cette manière. C'est horrible...

Après quelques secondes de silence, il retrouve
ses esprits et se tape dans les mains :
— Mais on n'a pas dit notre dernier mot, gang !
Tout est possible, on mène 28 à 17, on garde notre
belle avance et on resserre notre défensive ! Les
rats des vallées vont tout essayer pour saboter
la partie et ils vont profiter du fait que nous sommes
ébranlés ! Ne laissez rien paraître sur le terrain !

Notre *coach* n'est pas très convaincant. Il est même émotif. Rapidement, j'effectue l'équation : il perdra son emploi si cette rumeur de démolition est fondée.

Il renchérit :

— On y va avec ce plan !

Il nous montre le gribouillis dans son carnet avec nos positions.

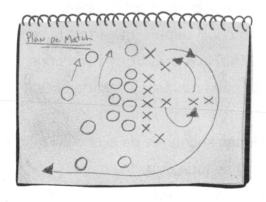

J'avance ma main au centre de notre cercle et j'ajoute avec toute la vigueur qu'il me reste :

— *GO ! GO ! GO !* LES OURS !

Mes coéquipiers joignent leurs mains à la mienne.

— *GO !* LES OURS NOIRS ! OUH-OUH-OUH !

La flûte de Jean-Bo sonne le début du troisième quart.
On l'entend à peine.
— C'est parti pour la suite de ce match... ma foi...
très intense..., commente mon meilleur ami.

Visiblement, Jean-Bo aussi est sans mot.

J'assure une faible passe. Le ballon glisse entre
les doigts de Sam. Deux grands Guépards
se moquent de lui :
— As-tu du beurre sur les mains, le gros ?

L'équipe adverse profite de la situation. Les vilains
jouent du coude, ils nous insultent au passage
et nous intimident.
— Je pense que c'est la dernière saison que vous
jouez, hein ?

Les Guépards prennent de l'avance. Ils rapportent
vite le ballon dans notre zone et font des gains
importants. À la fin du troisième quart,
nous sommes à égalité.

Pierre rassemble les miettes d'espoir qu'il lui reste et nous encourage à ne pas abandonner :

— Les gars, rien n'est terminé ! On peut encore y arriver !

J'ajoute :

— On ne se laissera pas faire ! Mais on ne se rabaissera pas à jouer le même petit jeu sournois… Nous sommes plus forts que ça !

— Bien dit, capitaine. Et le *flea flicker*, c'est maintenant !

Pierre nous présente de nouveau sa tactique, puis nous retournons sur le terrain, semi-gonflés à bloc.

9. DOUBLE DÉMOLITION (LA DÉFAITE)

Les Guépards ne font qu'une bouchée de nous.
Ils sortent leurs griffes, montrent leurs crocs. Ils sont
sans pitié. Pour eux, nous sommes des oursons
de biscuits Graham au miel.

La nouvelle annoncée à la mi-temps résonne dans
ma tête. Démolie. Démolie. Comment est-ce
possible ? On dirait que mes coéquipiers et moi
vivons dans le flou. J'ai vidé ma batterie d'énergie
à essayer de motiver l'équipe. Sur le banc, j'angoisse.
Il reste moins de trois minutes au dernier quart,
et les Guépards nous engloutissent 41 à 28.

C'est une double démolition.

Pierre me fait signe de la tête.
— Vas-y, mon gars. On a besoin de ton bras. Envoie
le ballon jusqu'au lac, de l'autre côté de l'école !

Pierre essaie de détendre l'atmosphère, mais
sa grosse moustache dissimule mal son manque
de confiance.

Je me lance sur le terrain mouillé. L'ambiance
et la température sont à glacer le sang. Le soleil tombe
avec nos espoirs. Les projecteurs s'illuminent avec les
sourires de nos adversaires. Mes coéquipiers tapent
mollement dans leurs mains et sur leurs cuisses pour
m'encourager. Je me mets en position.

Le jeu se poursuit. Je prends mon élan et j'effectue
une passe. C'EST RÉUSSI ! Bobby file comme
une fusée en direction de la zone des buts.

Le son du sifflet de l'arbitre retentit. L'arbitre
numéro 7 gesticule.

La foule hue le zèbre. Les spectateurs, gelés par
la nouvelle de la mi-temps, se réveillent soudainement.
Il n'y a pas eu de hors-jeu, j'en mettrais ma main
au feu ! La droite… parce que mon bras gauche
pourrait m'être encore utile.

À cause de cette punition bidon, on ne gagne que
trois points sur un placement. Et ce n'est pas suffisant
pour renverser la vapeur. Les Guépards l'emportent
sur les Ours Noirs avec une marque finale de 48 à 31.

Chaque équipe se place en file pour que chacun tape
dans la main des joueurs adverses.

On a tout donné. Dans les circonstances, je suis
même étonné que nous ayons été en mesure
de terminer la partie…

J'aperçois Matthew qui s'éloigne en lançant son
casque de toutes ses forces. Zack console Vincent,
Bobby se prend la tête en faisant les cent pas,
et Sam, dans son gilet trop ajusté qui dévoile
quelques centimètres de chair tendre, ne semble
pas trop comprendre ce qui se passe.

Les Ours ont le moral dans la boue. Les Guépards
sautent partout, se serrent dans les bras.

Mon regard croise celui d'un joueur adverse. Dans son
sourire, je sens l'empathie… Je lui retourne son sourire
et je lui fais un signe de la tête.

Au vestiaire, Pierre tente de nous rassurer. Pauvre entraîneur. Il est lui aussi en mille morceaux !

Une tornade entre alors dans la chambre : Fernande.
— OK, les gars. Rien ne s'est passé comme prévu, je sais. Vous avez donné ce que vous avez pu… dans les circonstances. Mais… est-ce qu'un Ours se laisse abattre si facilement ?

Un faible « non » surgit de la bouche
de quelques joueurs.
— Pardon ? JE N'AI RIEN ENTENDU !

L'intensité de ma grand-mère brusque l'équipe.
Je le remarque à l'expression de Max, au regard
de Zack et à l'attitude de Matthew, figé, qui semble
presque faire pipi dans son pantalon.

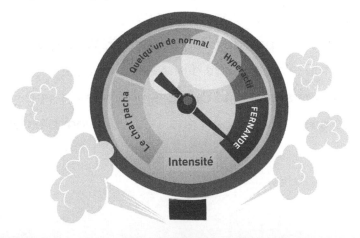

Je reprends plus calmement :

— Ce que Fernande veut dire, c'est qu'on ne peut
   pas abandonner. On doit agir ! L'école ne peut pas
   être démolie ! L'équipe ne peut pas être abolie !
   Il y a certainement une solution, et on va la trouver !

Mamie se racle la gorge et tape son poing
dans sa main :

— Oui ! C'est ce que je voulais dire ! J'irai parler
   au ministre en personne, s'il le faut !

Pierre s'approche de Fernande et pleure
dans ses bras.

Je n'imaginais pas le moustachu aussi sensible !

Pendant que ma grand-mère console notre entraîneur,
je m'adresse à mes coéquipiers :

— Nous avons peu de temps pour agir. Vous l'avez
   entendu : ils prévoient détruire l'école dans
   quelques semaines ! On ne peut pas les laisser
   faire ça ! L'école a cent ans. Les Ours vont bientôt

fêter leur cinquantième anniversaire. Vous savez à quel point tout cela est précieux pour Lac-à-la-truite-arc-en-ciel ! Nous faisons partie d'un patrimoine, on ne peut pas tout réduire en miettes comme ça !

Quelques joueurs me regardent du coin des yeux et baissent le regard. Ils ont déjà levé le drapeau blanc. Heureusement, Vincent et Bobby semblent plus interpellés par mon discours.

Il ne faut pas se décourager ! Un ours, ça ne lâche pas le morceau si facilement.

10. EN MODE SOLUTION (TACTIQUE DE DERNIÈRE MINUTE)

J'ai passé une nuit parsemée de cauchemars improbables. J'ai vu des zombies en robe à pois peindre un mur de boue avec des derrières de poule en guise de pinceau… King Kong m'a pourchassé pour dévorer des framboises en jujube dans mes cheveux…

C'était n'importe quoi ! Je n'en parlerai pas à Simone, car elle se ferait une joie de sortir son dictionnaire d'interprétation des rêves. Et j'en aurais pour des heures à l'écouter.

Je me tourne sur le côté et libère mon bras gauche, engourdi. Je l'étire pour atteindre mon téléphone.

Chacune des fibres musculaires de mon épaule
gauche me rappelle les lancers spectaculaires
de la veille et, du même coup, me ramène
à notre défaite.

J'écris à Jean-Bo :

> Yo ! Jambon ! Réveillé ?

Jean-Bo

Yo ! Face de singe ! Ouin et toi ? Niaiseux... c'est
sûr que t'es réveillé, tu m'écris ! LOL

> Arrête de loler, c'est laid. Hey ! Faut qu'on
> s'active ! On se voit ce matin pour établir un
> plan de match ?

Jean-Bo

Ta mère a fait des muffins ?

> Je pense. Ça sent bon, en tout cas.

Jean-Bo

Ta sœur est là ?

> Affirmatif. Si ce n'est pas elle qui chante, il y
> a une chèvre dans mon salon.

Jean-Bo

J'arrive.

Ark-e.

Je sors ma carcasse du lit et replace mes draps selon le minimum requis par ma mère. Je marche sur quelques jujubes en forme de framboises rouges (ah, tiens donc...) et je descends à la cuisine.

Simone et mes parents discutent. Des mots français et anglais s'entrechoquent. Les tasses se cognent sur le comptoir de granit gris. Je comprends rapidement qu'ils cherchent des solutions pour notre avenir scolaire.

Ma jumelle intervient à coups de :
— Pas question que j'aille à cette école-là !

De :
— C'est à l'autre bout du monde, cette polyvalente ! C'est au moins quarante-cinq minutes en autobus !

Et de :
— *No way,* l'école en anglais ! Je préfère faire l'école à la maison avec Jean-Bo !

Qu'est-ce qui se passe ? Ai-je dormi toute
une semaine ? Pourquoi semblent-ils penser que c'est
définitif, que l'école sera bel et bien démolie ? Je suis
secoué par leur manque de conviction et d'espoir.

— WOH ! pas si vite ! L'école tient encore debout,
que je sache !

— *Good morning, son !* me lance mon père
en interrompant la discussion.

— Salut !

— Comment ça va, mon grand ? me demande
ma mère avec son doux regard rempli de réconfort.

— Ça ne va pas ! Pourquoi personne n'agit ? Pourquoi
vous faites comme si la décision de démolir
Notre-Dame-du-Montplaisir était finale ? Nous
avons été mis au courant hier ! TOUTE LA VILLE
l'a appris HIER ! C'est notre droit d'au moins
proposer des solutions, non ?

J'explique à ma famille que Jean-Bo et moi allons
trouver des idées. Simone me demande :

— Ça ne te chicote pas, toi, que Nora n'ait pas assisté
au match ? Moi, je ne serais pas surprise qu'elle

soit derrière le sabotage de mon spectacle d'hier !
Que ce soit ELLE qui ait tout manigancé pour
diffuser le montage vidéo !

Je mentirais si je disais que je n'y ai pas pensé.
Ça m'a trotté dans la tête une partie de la nuit.
Entre King Kong et un zombie.

Dans les faits, Nora a tout avantage à ce que l'école
soit démolie : le terrain serait enfin libre pour la
construction du nouveau méga-écocentre. Et elle
se fout de l'équipe de football depuis que Pierre
l'a mise de côté... Elle lui en veut tellement ! Tout
le monde sait qu'une nouvelle comme celle-là durant
ce précieux match était suffisante pour détruire
la confiance du moustachu...

Non. Elle ne peut pas avoir fait ça… Ce n'est pas
son genre de se venger ainsi.

Tandis que je tente de me convaincre, Jean-Bo cogne
et entre dans la maison. Il vient vers nous et attrape
un gros muffin parmi la montagne de petits gâteaux.
Il y mord à pleines dents. Sous le regard ahuri
de ma mère, il bafouille :
— Je peux me prendre un muffin… s'il vous plaaaîîît,
   madame S. ?

Tout le monde éclate de rire.
— Mais oui, tannant ! Et ça doit faire mille fois
   que je te dis de m'appeler Ruby ! À chaque
   « madame S. » que tu me lâches, il me pousse
   un cheveu blanc !
— Mais, madame S., ça vous vâââ si bien !
   Ça sonne comme madame Sexy…

Mon père s'étouffe presque avec son café :
— OK, OK !

J'interromps la lancée hormonale de mon ami
avant qu'il s'enfonce davantage le pied dans

la bouche. Il n'y a pas de place pour un pied
là-dedans, avec l'énorme bouchée de muffin
que Jean-Bo vient d'engloutir.

Combien de muffins entrent dans une bouche ?
Encercle ta réponse !

On se prend quelques trucs à manger et on monte
à ma chambre. En grimpant les marches, il m'annonce
que les membres du comité scolaire sont préparés
depuis plus longtemps qu'on le pensait…
— Ma tante est dans le comité ! Elle n'osait pas
   en parler avant, mais là, comme la nouvelle
   a fait le tour de la ville hier… Elle a dit à ma mère
   que tous les élèves de la poly seront séparés
   et rapatriés dans trois écoles différentes !
— QUOI ? Mais c'est du délire ! Les écoles les plus
   près sont à quoi, quarante-cinq minutes, une
   heure d'ici ? Et tu sais quelles sont ces écoles ?
   Saint-Bernatchez avec les profils tango et

informatique, Orfée-des-Bois offre les profils
ski de fond et ballet classique, et Monseigneur-
Albert-Millaire propose la lutte gréco-romaine...
On ne veut juste PAS aller là.

— Parle pour toi, moi, je n'ai pas ce problème-là !
J'étudie dans MON salon. Sur MON fauteuil poire
en faux poils de lapin. Avec MA musique...

— On sait ben.

— Hey ! je suis ici avec toi, parce que je veux autant
que toi sauver TON école et TON équipe de foot !

Jean-Bo est préparé. Il a apporté un cahier pour écrire
nos idées. Il s'assoit sur ma chaise d'ordi, je me lance
à plat ventre sur mon lit.

— On commence par quoi ? demande-t-il en sortant
trois crayons de couleurs différentes de sa poche.

Il a son système : bleu pour les idées utopiques,
vert pour les idées géniales et rouge pour rayer toutes
les idées pas si géniales, finalement...

Avant d'établir un plan, je lui avoue :

— J'ai envie d'éclaircir quelque chose avec Nora.

— Ce n'est pas le moment de se pencher sur
tes amours...

— Arrête donc, Jambon ! Ça n'a pas rapport ! Nora
n'était pas là, hier. Je pense qu'elle est la seule
de toute la ville à ne pas avoir assisté au match.
J'imagine qu'elle ne voulait pas nous voir jouer
avec le coup de cochon que Pierre lui a fait...
mais je me demande si ce n'est pas elle qui est
derrière la diffusion de la vidéo à la mi-temps.

— Tu es sérieux ? Ce n'est pas super important
de savoir qui a préparé toute cette mise en scène,
hein... ? Ça ne change rien. Mais écris-lui,
on en aura le cœur net !

Je prends mon téléphone et je fouille dans mes
anciens messages. La dernière discussion que j'ai eue
avec Nora remonte à plusieurs jours.

Salut, Nora ! Ça va ?

Je vois qu'elle a lu mon message, et les trois petits points magiques apparaissent, signe qu'elle est en train de me répondre.

Nora

Salut, Paul. Ça va correct. Toi ?

Ça va ! On peut se voir maintenant ? Genre au café du coin, pour un chocolat chaud ? Je t'invite.

Nora

OK ! Mais pourquoi ?

Je t'en parle dans vingt minutes au café.

Jean-Bo lit par-dessus mon épaule.

— T'es vite en affaires ! Vous voulez que je vous laisse seuls ? Allez-vous partager un chocolat chaud avec de la mousse en forme de cœur ? OUUUH !

— T'es ben gossant ! Non ! Tu viens ! J'ai besoin de mon secrétaire pour écrire toutes nos bonnes idées en vert.

11. RÉUNION D'URGENCE (CAUCUS)

On arrive au café avant Nora. Avant tout le monde, en fait. Il faut dire que c'est dimanche et qu'il est à peine neuf heures du matin. Les gens qui n'ont pas eu une nuit infestée de zombies dorment peut-être encore.

Je commande trois chocolats chauds en attendant Nora, et on s'installe près de la fenêtre pour la voir arriver.

— On va commencer par écrire POURQUOI l'école doit fermer, dis-je à Jean-Bo. Ça va nous aider à trouver des solutions.

L'ÉCOLE NOTRE-DAME-DU-MONTPLAISIR DOIT FERMER POUR CAUSE DE DÉSUÉTUDE. L'ÉCOLE TOMBE EN RUINE ET IL COÛTERAIT TROP CHER DE LA RÉNOVER OU DE LA REBÂTIR.

— OK. C'est un problème d'argent. Classique.
Faudrait voir combien coûteraient les travaux :
50 000 $, 100 000 $?

— Selon mon père, on parlerait plutôt de plusieurs
millions, Jambon.

— SÉRIEUX ? crie mon ami en recrachant sa gorgée
de chocolat chaud.

Heureusement, il a visé dans sa tasse.

Nora entre au moment où les yeux globuleux
de Jean-Bo réintègrent leurs orbites.

— Salut, Nora ! As-tu su ce qui s'est passé hier soir ?

— Toute la ville en parle…, me répond-elle un peu
sèchement.

— Écoute, Nora… je sais que tu es fâchée contre
Pierre, et tu as parfaitement raison ! Il a agi comme
un gros macho pas de cervelle en te retirant
comme ça… D'ailleurs, on a perdu hier,
et je suis certain qu'on aurait eu plus de chances
de l'emporter si tu avais été avec nous et…

— Viens-en aux faits, s'il te plaît, s'impatiente-t-elle.

Jean-Bo choisit le moment parfait pour ne pas
se mêler de ses affaires :

— Paul veut savoir si c'est toi qui as présenté
la vidéo-choc durant la mi-temps hier.

— QUOI ! s'insurge Nora. Tu crois vraiment que
j'aurais pu faire une chose pareille ?

— Non, non ! C'est juste que… si l'école est démolie,
la Ville aura accès au terrain et pourra procéder
à la construction du nouvel écocentre…
C'est un projet qui te tient tellement à cœur !

Elle fronce les sourcils,
le regard plongé dans
les guimauves fondues
de sa boisson.

Je poursuis :

— Tu aurais pu aussi… tu sais… vouloir te venger
pour ce que Pierre a fait en présentant cette
nouvelle. Sachant en plus que ça le déstabiliserait
pour le reste de la partie…

Elle lève ses yeux humides.

— Ce n'est pas moi ! dit-elle, la voix cassée. Même
si j'en veux à Pierre, je ne souhaite pas que l'école
soit démolie et encore moins que l'équipe des
Ours Noirs disparaisse. Je trouve ça plate que
tu aies pu penser que j'étais la responsable…

Jean-Bo intervient de nouveau :

— Comme je disais à Inspecteur Paulôôô plus tôt,
on s'en fout de savoir qui a fait le coup.

— C'est vrai, dis-je. Faut agir. J'aimerais que tu nous
aides à chercher des solutions, Nora. Veux-tu ?…

Elle tourne le regard vers la fenêtre et pousse
un soupir.

— J'embarque, mais à une condition.

— Laquelle ?

— Vous ne le savez peut-être pas encore, mais
la ville est en train de se diviser en deux clans :
les pro-foot et les pro-environnement. Donc,
je pense qu'il est essentiel de trouver deux
solutions : dénicher des fonds pour rénover
l'école ET un autre terrain pour l'écocentre.

Jean-Bo prend son rôle de secrétaire au sérieux
et note tout ce que raconte Nora.

Sur le trottoir, j'aperçois Simone qui promène
Garfunkel avec une laisse. Elle lui a mis son manteau
en vraie laine et ses pantoufles en faux cuir pour
protéger ses petites pattes du froid.

Elle nous voit de l'autre côté de la fenêtre et entre
avec notre chat-chien dans les bras.
— Hé ! salut, vous troiiiis ! chante ma sœur.
   Qu'est-ce que vous faites ?
— On trouve des solutions pour conserver votre
   école ! dit Jean-Bo.
— ET un nouveau terrain pour l'écocentre !
   se dépêche d'ajouter Nora.
— OK, ça, c'est GÉANT, comme plan ! s'exclame
   Simone. Je me joins à vous !

Ma sœur approche une chaise et attache la laisse
de Garfunkel à la table. Elle se commande, elle aussi,
un chocolat chaud extra-guimauves-cacao-et-
cannelle. Elle revient trois minutes plus tard avec
sa tasse et un journal.

Elle fait glisser le quotidien devant nous et pointe la photo d'un homme en page couverture.

— Si ce n'est pas un signe, ÇA, je me demande bien ce que c'est !

Jean-Nicolas Vadeboncœur veut investir dans l'avenir !

L'homme d'affaires de soixante-trois ans devient l'un des quatre entrepreneurs de la populaire émission de télévision *Un projet en or*. Il désire se démarquer de ses richissimes collègues en investissant dans des projets communautaires et environnementaux.

« Je viens d'un petit milieu. J'ai grandi dans un superbe village où tous les habitants se connaissaient », a-t-il dit.

« Tout le monde s'entraidait. Mes parents n'étaient pas riches, mais on était débrouillards et on travaillait fort. »

« J'ai vite compris qu'on pouvait transformer un dollar en deux dollars, puis en dix dollars, etc. Au fil des années, j'ai fait fortune en investissant dans des entreprises qui sont devenues millionnaires, et même, milliardaires. Oui, j'ai eu du flair, mais j'ai surtout toujours écouté mon cœur. Aujourd'hui plus que jamais, j'ai envie de donner au suivant. Je veux investir dans des projets qui soutiennent l'environnement et la communauté. J'ai sept petits-enfants et je veux qu'ils grandissent sur une planète en santé. »

Dès le mois prochain, les célèbres femmes et hommes d'affaires intervieweront des entrepreneurs et des gens désireux de voir leur projet se réaliser en échange de fonds. La nouvelle saison de la populaire émission *Un projet en or !* sera diffusée en avril.

« Contrairement à mes collègues sur le plateau, je ne cherche pas un rendement de mes investissements. Seulement, je désire encourager des projets sérieux qui auront un réel impact sur la société. »

Vous avez un projet à soumettre ?

Envoyez vos idées et vos coordonnées à :

super-idee@unprojetenor.tv.ca

Jean-Bo, Nora et moi détachons notre regard de l'article de journal. Mon ancienne coéquipière étire son sourire jusqu'à ses plus grosses molaires. Elle dit :
— Vous pensez à la même chose que moi ?

Simone pousse quelques notes :
— Ouiii ! Je vous l'avais diiit ! On a là une super occasion de sauver l'école !

— Et d'obtenir un terrain pour le nouvel écocentre !
s'empresse d'ajouter Nora avec une pointe
de sérieux dans les sourcils.

Notre secrétaire se gratte le menton. D'un air
suspicieux, il demande :
— Vous croyez que Vadeboncœur accepterait
de financer les deux projets ?

Mon enthousiasme déborde.
— Pourquoi pas ? Vous imaginez ? Cet homme
est l'investisseur parfait !
— Tu rêves en couleurs et en 3D, Paulô !
se moque Jambon.
— Je pense que ça vaut la peine d'essayer…
On ferait d'une pierre deux coups.
— Ah ! ne me parle pas de Pierre, toi ! ajoute Nora,
faussement vexée.

On rit tous les quatre et on prépare notre
plan de match.

12. L'HOMME DE LA SITUATION (PLAN DE MATCH)

J'analyse de nouveau l'article sur Jean-Nicolas Vadeboncœur.

— OK. On n'a pas le temps d'attendre les auditions pour l'émission de télévision, dis-je à ma sœur et à mes amis. Il faudrait rencontrer ce monsieur dès que possible... Voici ce que je vous suggère comme plan.

1 On fait une première recherche à l'hôtel de ville afin de trouver un vaste terrain pour accueillir le nouvel écocentre.

2 On s'informe sur les propriétaires des terrains et sur leurs intentions de vendre ou non.

3 On investigue sur monsieur Vadeboncœur. On essaie de découvrir des infos sur lui via les réseaux sociaux, etc. Plus on apprend à le connaître, plus ce sera facile de l'approcher.

4 Une fois toutes les informations rassemblées, on rédige une lettre que nous irons présenter à la Ville, puis au gouvernement s'il le faut !

Je propose à mes amis qu'on se sépare
les tâches ainsi.

J'ai le vertige. Je me sens comme un soldat défendant
sa patrie. Nous sommes tous victimes de la bombe
qui nous est tombée dessus au match de samedi.
Il faut agir vite. Pour sauver notre école et notre
équipe de foot, toutes ces démarches valent le coup.
J'en suis sûr.

***

Dès le lendemain, après l'école, nous entreprenons notre recherche de terrains à l'hôtel de ville. Ce n'est pas très fructueux. Un seul emplacement est assez vaste pour accueillir le nouvel écocentre.

Madame Gariépy, l'adjointe du maire, nous apprend que cet espace appartient à Barnabé Samson.

Nora sursaute.
— QUOI ? Le vieux Barnabé de cent deux ans, qui vit seul dans une petite maison sur la montagne, tout près ? Il est aussi le propriétaire de ce grand terrain ?
— Oui, confirme madame Gariépy. Barnabé a mis la main sur ce terrain il y a quoi… au moins soixante ans de cela ! À l'époque, il l'a eu pour une bouchée de pain noir ! Il voulait s'assurer qu'aucun étranger n'allait se construire un gros chalet qui gâcherait notre vue sur le lac… Le terrain a dû prendre beaucoup, beaucoup de valeur depuis ce jour !

Nora et moi échangeons un regard inquiet. Si le vieux Barnabé ne voulait pas d'une maison à cet endroit, il ne voudra certainement pas d'un immense écocentre !

Nous remercions la dame, puis sortons
de l'hôtel de ville.

Nora me regarde, déçue.

— Oublie ça, Paul. Le vieux Barnabé ne voudra jamais
laisser aller son terrain ! Et si jamais il acceptait,
ce serait pour une fortune ! Il ne reste que le terrain
de l'école…

— Nora, on ne baisse pas les bras maintenant !
Je vais lui parler.

Nous reprenons nos vélos et nous rendons chez
le vieil homme. Nous cognons… une fois, deux fois,
puis trois. Aucune réponse.

Comme nous retournons sur nos pas, la porte
s'ouvre derrière nous.

— Salut, les jeunes ! nous dit le vieux tout courbé
en se grattant la tête. Je faisais une petite sieste.
Qu'est-ce qui vous amène ici ?

Nora prend son courage à deux mains et demande :

— Madame Gariépy nous a dit que l'immense terrain
devant le lac vous appartient… Est-ce exact ?

— Oui, pourquoi voulez-vous savoir ça ?

— Parce que nous sommes à la recherche
de l'emplacement parfait pour accueillir le nouvel
écocentre de la ville et…

— Pfouaaah ! éclate de rire le vieux en nous
présentant les quatre dents et demie qui lui restent
dans la bouche. Vous pensez pouvoir construire
sur mon terrain ? Savez-vous combien il vaut, selon
l'évaluation de la Ville ?

— Non…

— Près du million de bidous, les jeunes !

Un million de dollars… J'ai beaucoup de mal à imaginer
monsieur Samson millionnaire ! Lui qui pratique
la simplicité volontaire… Il vit dans une petite maison
très modeste depuis cinquante ans et n'a visiblement
pas investi pour soigner ses dents.

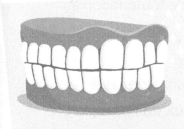
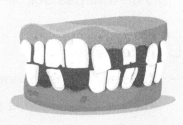

— Mais monsieur Samson, renchérit Nora, c'est pour une bonne cause ! La ville de Lac-à-la-truite-arc-en-ciel posséderait le plus grand écocentre en Amérique du NORD ! On serait reconnus à travers le monde entier !

Le vieux réfléchit. On dirait qu'on a touché une corde sensible. Nora en profite pour continuer sur sa lancée :

— Ce que Serge, l'oncle de Paul, et ma mère ont en tête pour le nouvel écocentre est si innovateur que nous avons une RÉELLE occasion de protéger notre écosystème ! L'équipe a des solutions concrètes de recyclage et de réinvestissement dans l'environnement.

— Oui, je vois…, répond le vieux Barnabé en caressant sa barbichette. Mais vous n'avez pas d'autre endroit que mon terrain pour construire votre centre ? Le terrain de foot de l'école, c'est grand, ça ! Ils ne vont pas détruire l'école, de toute façon ?

Là, j'interviens :

— Monsieur Samson, nous ne voulons pas que l'école soit démolie ! C'est la phase deux de notre plan :

trouver des fonds pour sauver l'école. Vous faites partie de la solution…

— OK, les jeunes. Je vous entends. Je suis peut-être vieux, mais mon ouïe est encore bonne ! Hin ! hin ! hin ! Rassemblez les gens de l'écotruc, là, et mon vieil ami le maire, et on va s'asseoir ensemble.

Nora pousse un cri de joie et prend le vieux Barnabé dans ses bras ! Elle le serre si fort que j'ai peur qu'elle le casse en deux.

L'homme gris, surpris, accepte l'étreinte en riant de bon cœur.

J'ai toujours su que la bonté coulait dans les veines des gens de ma ville.

13. ESPIONNE PROFESSIONNELLE (TOUCHÉ !)

Nora et moi roulons en direction de nos maisons.

Entre deux coups de pédales, Nora me dit :

— Attends que je raconte ça à ma mère,

elle va CAPOTER !

Lorsque nous arrivons au coin de la rue des Paillettes,
nous nous séparons et elle tourne à droite.

Chez moi, je trouve Fernande en discussion
avec ma mère dans la cuisine. Elles me saluent
et me demandent où j'étais passé. Je m'assois
et leur raconte l'histoire. Les deux femmes m'écoutent,
les yeux gros comme des brioches à la cannelle.
(C'est l'exemple qui me vient, car l'odeur embaume
la maison.)

— Mon Paulo ! s'exclame ma grand-mère.

C'est beaucoup d'organisation ! Vous avez

eu ces idées-là tout seuls ?

— Oh ! que ouiii, mamiiie ! chantonne ma sœur
en entrant dans la pièce avec un sourire victorieux.

Elle dépose devant nous un petit paquet
de feuilles agrafées.
— Ça, mon frère, c'est le fruit de mes recherches.

Jean-Nicolas Vadeboncœur

Facebook professionnel :
Jean-Nicolas Vadeboncœur

Facebook personnel :
JNick GoodHeart

Compte Instagram
personnel : @JNVDBC-perso

Courriel professionnel :
jnv@jnventreprises.com

Courriel personnel :
jean-nick@coolmail.ca

- Sa famille :
  Il est marié avec l'actrice Belinda Stewart depuis
  quarante et un ans, ils ont une fille de trente-huit ans,
  un fils de trente-deux ans, sept petits-enfants de deux,
  trois, cinq, sept, neuf, onze et quatorze ans.

- Ses champs d'intérêt :
  Les sports. Il adore le tennis et le football. Il est
  propriétaire d'une équipe de foot en Ontario :
  les Sprintigers.

— WOH ! OK ! Ça, ma sœur, c'est vraiment génial ! Comment tu as fait pour trouver tout ça si rapidement ?

Simone prend des airs faussement modestes et répond :

— Bah, tu sais… ce n'est pas grand-chose, hein. Il suffit de fouiller aux bons endroits. J'ai commencé par éplucher son compte Facebook professionnel. Je suis tombée sur une vieille publication datant de septembre 2016, où l'une de ses connaissances avait partagé un statut depuis son compte personnel. J'ai donc eu accès à des informations plus privées… Il devrait revoir les paramètres de confidentialité de son compte personnel, d'ailleurs… Bref, grâce à sa négligence informatique, j'ai réussi à dénicher tout ça !

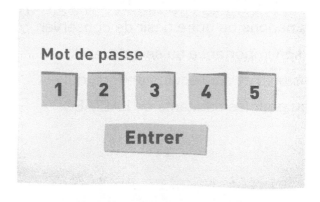

— Vous êtes épatants ! s'extasie ma mère en sortant
six énormes brioches à la cannelle du four.

— Absolument ! Qu'allez-vous faire avec toutes
ces informations, maintenant ? demande
mamie Fernande.

En me levant, je réponds :

— Nous allons contacter monsieur Vadeboncœur
et lui présenter notre projet ! Tu viens, Sim ?

Simone et moi nous installons à l'ordinateur
et rédigeons un premier message à l'intention
de Jean-Nicolas Vadeboncœur. Nous avons conclu
que la meilleure façon de communiquer avec lui,
c'est via l'application Messenger. C'est plus direct !

Ma sœur et moi relisons le message plusieurs fois.
Il faut que ce soit parfait et que nos intentions soient
claires. Nous parlons de notre désir de conserver
l'école et de son importance au sein de la ville.
Nous glissons un mot sur l'équipe de foot, qui est
aussi un joyau pour les habitants de LÀLTAEC.

Une fois satisfaits de notre lettre, nous copions
le tout dans l'application de messagerie à l'intention
de JNick GoodHeart. Voilà. C'est prêt à partir.
— Vas-y, toi ! m'ordonne ma sœur. Appuie sur
  « envoyer » !

Elle cache sa tête entre ses épaules et remonte
le capuchon de son chandail. On dirait une tortue.
Je la comprends. Ça m'angoisse aussi... Je prends
une grande respiration et je clique sur la souris.
C'est parti !

Nous attendons.

Téléchargement

— Hum…, fait Simone. Le monsieur n'est peut-être
pas devant son écran en ce moment, hein ?
— En effet… ça ne sert à rien de rester ici. Revenons
voir plus tard !

Nous aidons nos parents à préparer le souper.
Des dumplings, maison évidemment, farcis
de champignons, d'oignons, de carottes
et de gingembre, avec une sauce aux arachides.

Après avoir tranché les champignons, je vais jeter
un coup d'œil au message envoyé.

Pas de réponse.

Simone prépare la sauce aux arachides et va ensuite
voir le message à son tour.

Pas de réponse.

Nous nous attablons. Je me lève pour aller au petit coin et, comme je passe devant le bureau, je regarde la fenêtre de la messagerie laissée ouverte.

Pas de réponse.

Toute la soirée, Simone et moi vérifions si Jean-Nicolas nous a écrit. À vingt et une heures, nous montons à nos chambres, bredouilles.
— Penses-tu qu'on est fous de croire que c'est possible ? s'inquiète ma sœur.
— On serait fous de ne pas essayer.

Elle sourit et me fait un câlin avant d'aller lire dans sa chambre.

En voyant mon téléphone laissé sur mon lit, je remarque que j'ai reçu quelques textos.

Nora

Ma mère CAPOTE, Paul ! Elle n'en revient pas de ce que nous avons fait pour trouver un terrain pour le nouvel écocentre !

Nora

As-tu du nouveau concernant monsieur Vadeboncœur ?

Paul

Vraiment content pour le terrain !
Une partie de notre plan fonctionne bien, on dirait.

Paul

Pour monsieur Vadeboncœur : oui et non !
Oui, parce que Simone a déniché PLEIN d'infos sur lui. Elle a même trouvé ses comptes perso sur les réseaux sociaux et ses numéros de téléphone, tout ! Un peu plus et elle découvrait quels sont les motifs sur ses bobettes ! :P

Nora

Pourquoi tu dis non, alors ?

Paul

Parce qu'on a lui a écrit un message, mais qu'on n'a toujours pas de réponse…

Nora

WOW ! Vous êtes rapidos ! C'est super ! Mais… laisse-lui le temps de vous lire et de répondre. Je suis brûlée… Bonne nuit!

Paul

Bonne nuit, Nora.

J'ouvre ensuite ma conversation avec Jean-Bo.

Jean-Bo

Piiiis ? As-tu du nouveau ?

Je lui réponds la même chose qu'à Nora, puis je ferme tout : lumières, cellulaire, yeux, et je m'endors...

14. ET SI ON SE DONNAIT RENDEZ-VOUS ?
(BALLON CAPTÉ)

Le cri de soprano de Simone m'extirpe du sommeil.

Ma sœur cogne à ma porte, entre et se rue sur mon lit

avec l'ordinateur portable dans les mains.

— Il a répondu !

Je décolle aussitôt mon visage de mon oreiller

et je m'approche de l'écran.

Chers Simone et Paul,

Votre demande m'interpelle. Des jeunes de votre âge désirant préserver leur école centenaire ainsi que leur équipe de football, c'est admirable ! Et tout ça, en essayant de dénicher un terrain pour le nouvel écocentre ! Chapeau ! Vous êtes débrouillards et vous faites preuve d'initiative en me contactant.

J'aimerais vous rencontrer. Je reviens au Québec dans quelques jours et, ce vendredi 27, j'aurai quelques heures libres. Et si on se donnait rendez-vous au centre multiservice de votre région pour discuter de tout cela ?

Cordialement,

Jean-Nicolas Vadeboncœur

Je n'en reviens pas !

— C'est...

— MALADE ! complète ma sœur.

— Oui ! Mais j'allais plutôt dire : c'est dans trois jours !

— Ce n'est pas toi qui voulais que tout se passe vite ?
Tu sais, avant que le bulldozer vienne défoncer
les murs de l'école ?

— Oui ! Vraiment ! Je suis super content. Mais
il va falloir être bien préparés.

— Oui, et on a quand même de l'école d'ici là.

— Hey… et si toute l'équipe des Ours Noirs
se présentait devant monsieur Vadeboncœur ?

— Avec les élèves du profil *cheerleading*, aussi !
Vous porterez tous vos uniformes pour faire
la présentation devant monsieur Jean-Nicolas.
Ce sera plus impressionnant !

J'ajoute :

— Oui ! Super idée ! Oh ! on devrait même s'y rendre
avec le bus électrique de l'équipe !

Simone soupire et m'observe avec un grand sourire. Après quelques secondes, elle me dit :

— Ah ! Paulo, mon frère… réalises-tu ce que tu es en train de faire ? Il y a quelques semaines, tu te demandais pourquoi on t'avait choisi pour être le capitaine des Ours… Tu es un leader-né ! Et tu ne le sais même pas ! Pierre a pris une décision de *schnoutte* en sortant Nora de l'équipe, mais il a eu du flair en te choisissant comme capitaine !

— Aaaah ! t'es fine ! Mais tu dis ça juste parce que tu es ma sœur, pis que tu n'as pas le choix de m'aimer !

***

Une fois à l'école, Nora, Simone et moi nous rendons directement au bureau de la directrice. Le secrétaire, monsieur Chavez, est au téléphone et nous indique d'attendre.

Nora me chuchote :

— Comment veux-tu aborder le sujet ? C'est tellement important et il me semble qu'on n'est pas prêts…

— C'est important ET pressant. Si on a une chance de sauver l'école, il faut en parler à la direction maintenant.

Antonin Chavez se libère.

— Bonjour, Simone, Nora et Paul ! Que puis-je faire pour vous, ce matin ?

Simone prend la parole :

— Bonjour, monsieur Chavez ! Serait-ce possible d'avoir un entretien *pronto* avec madame Leblanc, s'il vous plaît ? C'est vraiment important !

— Madame Leblanc est très occupée depuis samedi… et depuis l'annonce inopinée de la présumée démolition de l'école… C'est la FOLIE !
Le téléphone ne dérougit pas ! Et en ce moment, la directrice est en discussion avec Pierre.
D'ailleurs, vous devriez vous rendre à vos cours, la cloche va sonner dans quelques secondes…

J'interviens :

— Nous devons justement parler à Pierre aussi !
Croyez-nous, monsieur Chavez, l'avenir de tous
en dépend.

Antonin me regarde avec de gros yeux faussement
effrayés. Il nous fait signe de nous asseoir.

La cloche sonne. Quelques minutes plus tard, la porte
du bureau de notre directrice s'ouvre. Nora et Simone
bondissent aussitôt de leurs chaises.

Nous nous précipitons dans le bureau avant que
Pierre sorte.

— Madame Leblanc, Pierre... nous voulons
sauver l'école.

La directrice fronce les sourcils. Elle baisse son regard empreint de déception et elle nous dit :

— Vous savez qu'il en coûterait des millions de dollars pour rénover l'école… Le gouvernement ne peut investir une telle somme, compte tenu que d'autres écoles peuvent accueillir les élèves. L'idéal serait de reconstruire la polyvalente, mais ça impliquerait beaucoup de restrictions et des coûts importants…

J'interromps la directrice :

— Parlant d'argent, nous avons trouvé un homme d'affaires qui pourrait financer les rénovations de la polyvalente. On conserverait l'équipe de foot ! Nous avons une rencontre prévue avec lui dans trois jours. Toute l'équipe pourrait se présenter devant lui, avec nos statistiques. C'est un passionné de football… Nous avons des chances de le convaincre, je crois…

Je regarde Pierre. Le moustachu m'adresse un clin d'œil.

— C'est bien beau, tout ça, reprend madame Leblanc, mais le Groupe Enviro a déjà tous les plans pour construire sur le terrain de l'école. Nous avons été mis devant le fait accompli. Je suis désolée.

Nora intervient à son tour :

— Nous avons rencontré monsieur Barnabé Samson, hier. Il possède un immense terrain tout près du lac. Il serait prêt à négocier pour céder son terrain à la Ville pour y faire construire le nouvel écocentre.

La directrice joue nerveusement avec son crayon. Elle nous sourit, puis elle ajoute :

— Je reconnais que vous êtes organisés. C'est bien. Par contre, je ne vois pas comment tout cela serait possible avec si peu de temps devant nous. Je dois aussi vous avouer que je suis à la fin de mon mandat en tant que directrice. Toute cette histoire m'a épuisée… Je suis désolée…

Sur ces mots, une tornade entre dans le bureau.

Une tornade nommée... Fernande !

— Non, Diane, tu ne peux pas seulement être
   désolée ! crie ma grand-mère en cognant le poing
   sur le bureau. Ce dossier-là, tu l'as échappé !
   Tu aurais dû agir avant et t'opposer aux mesures
   draconiennes qui menacent la polyvalente. Les
   jeunes ont travaillé fort pour trouver des idées pour
   sauver leur école et leur équipe de foot. La moindre
   des choses serait de les appuyer !

Madame Leblanc se lève d'un bond derrière son
bureau, visiblement froissée. La directrice est donc
au courant depuis plus longtemps qu'elle le laisse
entendre ?

— Fernande ! Pas de scène devant les élèves,
   je te prie.

— Il est minuit moins une, Diane ! Minuit moins trente
   secondes, même ! Ils prévoient démolir quand ?
   Dans trois mois ? Les jeunes ont des pistes
   de solution, il faut agir MAINTENANT !

Madame Leblanc se racle la gorge.

— D'accord. En tant que directrice, j'assisterai à votre
présentation. J'imagine que c'est la moindre
des choses…

— Voilà qui est mieux, ajoute ma grand-mère
en me souriant.

15. JOUER LE TOUT POUR LE TOUT
(DERNIÈRE TENTATIVE)

Tout le monde est prêt. Les trente-neuf joueurs des Ours Noirs portent leur équipement complet (propre, en plus !), les vingt-cinq élèves de *cheerleading* sont vêtus de leur costume de compétition, plusieurs professeurs nous accompagnent. Pierre, la directrice et ma grand-mère sont présents.

Nous montons à bord des deux autobus qui nous mèneront au centre multiservice de la Ville, où nous avons rendez-vous avec monsieur Jean-Nicolas Vadeboncœur à quinze heures trente.

Je m'installe sur la deuxième banquette, derrière Matthew et Nora. Jean-Bo se joint à moi. Il a apporté tout son attirail informatique pour la présentation sur grand écran. Je suis stressé comme jamais je ne l'ai été auparavant. Ma jumelle le sent.
— Ça va bien aller, mon frère ! chantonne-t-elle.

Simone se charge de nous divertir en chantant à l'avant du bus. Rien ne l'arrête, ma sœur ! D'ailleurs, elle entonne un vieux succès des années 1980. Elle se donne en spectacle avec fougue sur la chanson *Don't Stop Believin'*. Les profs chantent avec elle, tout le monde tape des mains. Nous sommes motivés.

Le trajet dure à peine quinze minutes. Nous arrivons un peu à l'avance au centre afin de vérifier que tout l'équipement technique fonctionne bien. Mes coéquipiers les plus connaisseurs donnent un coup de main à Jean-Bo pour tout brancher.

Pendant ce temps, je révise mon discours dans l'immense salle de conférences. Je sursaute quand Bobby vient m'installer un micro sur l'oreille :
— Si on veut bien t'entendre, tu auras besoin de ceci… voilà ! On va faire un test !

C'est parfait ! Hé… si on m'avait dit il y a une semaine
que je me trouverais ici, à présenter un projet
de la sorte devant l'un des hommes d'affaires
les plus riches du pays, je ne l'aurais jamais cru !

Tout est installé, le monde est en place. Simone,
qui était sortie de la pièce quelques minutes,
revient vers nous en courant :

— Il est là ! Monsieur Vadeboncœur est arrivé ! C'est
impressionnant, il est accompagné de trois gros
gars vêtus de noir et avec des lunettes fumées,
comme dans les films ! Ce sont sûrement ses
gardes du corps ! Ils approchent !

Mes trente-huit coéquipiers des Ours Noirs, dont Nora qui a revêtu son uniforme pour l'occasion, se tiennent en rang près de moi. Jean-Bo fait jouer une musique entraînante sur laquelle les élèves de *cheer* se mettent à bouger !

Jean-Bo aperçoit notre invité de l'autre côté des murs vitrés de la salle de conférences et l'invite à entrer au micro :

— Monsieur Jean-Nicolas Vadeboncœur, messieurs les gardes du corps, vous êtes les bienvenus.

L'homme d'affaires sourit. Il semble impressionné par notre mise en scène.

Je m'approche de monsieur Vadeboncœur. Il a une stature imposante. J'imagine un ancien athlète sous ce complet gris à fines rayures.

Nous nous présentons l'un à l'autre en nous serrant la main. Sa poigne est ferme, mais son regard est chaleureux.

Je remercie l'homme de sa présence, je l'invite
à s'asseoir, puis notre présentation débute.

Sur le grand écran sont diffusées de très vieilles photos
en brun et blanc datant des années 1950. On y voit
soit l'école, soit l'équipe des Ours Noirs à l'époque.
Leurs chandails sans logo affichaient seulement
un numéro. Ils ne portaient pas d'épaulettes et leur
casque de cuir leur donnait des airs d'aviateur.
L'équipement a bien évolué depuis.

Sur l'une des photos des années 1970, je crois
reconnaître ma grand-mère, en version « Fernand ».

Une fois la présentation en images terminée, Jean-Bo met fin à la musique en *decrescendo*, puis je plonge dans le vif du sujet :

— Ce que nous venons de voir, ce sont plusieurs décennies de passion. Une passion pour cette école secondaire, qui est au cœur des priorités des habitants de la ville depuis toujours. Une passion pour un sport qui enflamme les cœurs : le football.

J'ai l'attention de tous. Je poursuis :

— Comme vous le savez, la semaine dernière, toute la population de Lac-à-la-truite-arc-en-ciel a reçu une très mauvaise nouvelle qui a eu l'effet d'une véritable bombe. Cette même école que nous vous avons présentée en images est vouée à être démolie dans les prochains mois, pour cause de désuétude et d'autres problèmes qui pourraient nuire à la santé et à la sécurité des étudiants.

À ce moment, Jean-Bo fait apparaître différents graphiques derrière nous. Des diagrammes à bandes et circulaires créés à partir de données fournies par la directrice. Il paraît que, pour discuter avec un homme d'affaires, il faut savoir parler le langage des chiffres.

J'enchaîne :

— Dans ce diagramme circulaire, nous voyons les
coûts estimés des réparations de base exigées
par le ministère de l'Éducation : 1 478 000 $. C'est
le minimum pour respecter les normes de santé
et de sécurité. Sur le deuxième graphique, nous
voyons les projections d'une restauration complète
de l'école, soit 6 750 000 $. Le gouvernement
n'a pas ces sommes. Il a donc opté pour
la destruction de notre école, sans même
nous consulter.

Dans le diagramme, une pointe de tarte affiche
le montant que le gouvernement peut injecter
dans l'école : 600 000 $.

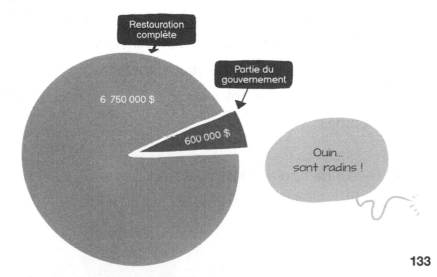

— Si on va de l'avant avec les rénovations, il manque donc plus de la moitié de la somme totale.
C'est ici que vous pouvez intervenir, monsieur Vadeboncœur. Ce genre d'investissement ne rapporte pas de profit financier, nous en sommes bien conscients, mais si vous embarquez dans notre projet, nous avons l'intention de vous remercier d'une autre façon.

Jean-Bo appuie sur la touche d'ordinateur qui fait apparaître une nouvelle image.
— Notre école pourrait avoir un pavillon à votre nom ! Et… ce n'est pas tout…

Je pointe la nouvelle image sur l'écran.
— Sur les uniformes des Ours Noirs, nous ajouterions un badge avec vos initiales : JNV. Ainsi, chacun se souviendrait de ce que vous avez fait pour nous aider à sauver notre école et notre équipe de football.

Tout le monde applaudit dans la salle. Mais l'applaudissement qui résonne le plus dans mes

oreilles est celui de monsieur Vadeboncœur,
qui semble impressionné, ému même.

Un silence s'installe. Tous les yeux sont rivés sur
l'homme d'affaires. Il prend un moment pour réfléchir.

— Tu as quel âge, jeune homme ? me demande
l'homme à cravate.

— Treize ans, monsieur.

— Tes amis et toi avez organisé tout cela seuls ?

— Oui, avec l'aide de notre directrice pour les chiffres.

— Très impressionnant.

— Merci, monsieur.

— Écoute… je crois qu'il est primordial de conserver votre école. C'est le joyau de votre ville, et les Ours Noirs sont reconnus dans toute la province. Je m'explique mal la décision du gouvernement de vouloir détruire l'établissement… C'est un patrimoine important. Malheureusement, je ne pourrai pas investir dans le projet de rénovations dites « de base » de votre polyvalente.

Des murmures de déception parcourent la grande pièce.

Après un instant, monsieur Vadeboncœur ajoute :

— Il faut préserver l'aspect extérieur de votre école ainsi que son cachet ancestral. Des écoles comme la vôtre, il ne s'en construit plus. J'investirai donc dans la restauration totale de votre école. Pourquoi faire à demi ce qu'on peut accomplir complètement ?

Ai-je bien entendu ? Monsieur Vadeboncœur veut investir près de sept millions de dollars dans notre école ? Un pavillon à son nom ne sera pas suffisant, il faudra renommer l'école entière en son honneur !

Tout le monde se lève et applaudit. Simone donne le signal à Matthew et à Vincent pour l'envoi des confettis ! Les petits papiers multicolores volent dans les airs. Pierre en reçoit même quelques-uns dans sa grosse moustache !

Monsieur Vadeboncœur s'approche de moi en riant et me dit tout bas :

— Ouais ! Vous étiez sûrs de votre coup, les jeunes !

Je me sens rougir... Je ne sais pas trop quoi dire.

— On ne tenait rien pour acquis, monsieur.
Mais on espérait très fort que vous seriez touché
et intéressé par notre projet !

— Et c'est le cas, Paul... Est-ce que, dans toutes ces
recherches que vous avez faites sur moi, vous avez
appris que j'ai étudié deux ans dans votre école ?

— Non ! Vraiment ?

— En troisième et quatrième secondaire...
J'en conserve de très beaux souvenirs !
Et sais-tu avec QUI j'ai joué au football durant
ces années ?

Il regarde dans le coin de la salle, en direction
de Fernande.

Ce n'est pas vrai ! Mamie connaît Jean-Nicolas
Vadeboncœur et elle n'a RIEN DIT ?

Ma grand-mère, qui était restée à l'écart, remarque
qu'on l'observe et vient vers nous en riant. Elle agrippe
Simone au passage.

— Ne sont-ils pas merveilleux, mes petits-enfants,
hein ? Bonjour, Jean-Nick, c'est un plaisir
de te revoir !
— Ha, ha ! Ma chère Fernande !
C'est un plaisir partagé !

Je n'en reviens pas. Quelle cachottière !
Mamie dit qu'elle avait confiance
en nous et que, lorsqu'on désire
quelque chose très fort,
on est capable de soulever
des montagnes
pour l'obtenir.

Je me retire un peu pour laisser ma grand-mère et son
ancien coéquipier discuter ensemble un moment.
Aussitôt, je me fais plaquer par-derrière.
— Hey ! je suis fière de toi, capitaine ! me dit Nora.
— Capitaine ? Ça veut dire que tu reviens
dans l'équipe ?
— Ça se pourrait bien...

ÉPILOGUE
(CHANGEMENT
DE DIRECTION)

Nous sommes à la mi-mars, et l'école n'a pas été démolie. Après quelques discussions avec le ministre de l'Éducation, Jean-Nicolas a tenu promesse et a investi plusieurs millions de dollars dans notre école. Notre-Dame-du-Montplaisir est sauvée, et notre équipe de foot aussi.

La polyvalente subit des rénovations majeures. Il y a une centaine d'ouvriers qui y travaillent à temps plein. Tout l'intérieur doit être refait, de la fondation au toit, en passant par l'isolation, la fenestration et l'aération.

Selon les entrepreneurs, l'école rouvrira ses portes vers la mi-avril. D'ici-là, les élèves étudient dans trois écoles des villes voisines, sauf ceux du profil football.

Mes coéquipiers et moi faisons l'école à la maison avec Jean-Boris dans SA maison ! Le sous-sol est immense et on l'a aménagé en classe temporaire avec l'aide de ses parents. C'est sa mère qui nous enseigne. C'est vraiment très, très *cool* !

Parallèlement aux travaux amorcés dans notre école, le projet de l'écocentre avance aussi ! Barnabé Samson et le maire ont conclu une entente permettant la construction du nouvel établissement, prévue pour l'été prochain. Il va sans dire que Nora est heureuse du dénouement. D'ailleurs, elle est revenue dans l'équipe de foot et a repris sa position. Notre équipe n'était pas la même sans elle.

Sam, lui, fait maintenant partie de l'équipe des Guépards de Champs-des-Vallées.

Nous avons entendu entre les branches que l'adjoint de madame Leblanc, Antonin Chavez, serait le responsable de la vidéo diffusée à la mi-temps... Nous ne saurons jamais le fond de l'histoire, puisque lui et la directrice ont démissionné officiellement de leurs postes.

Nous venons tout juste d'apprendre l'identité de la personne qui remplacera madame Leblanc dans ses fonctions. Il paraît que nous aurons une nouvelle directrice de soixante-trois ans, dynamique, active et qui a des abdos en palette de chocolat...

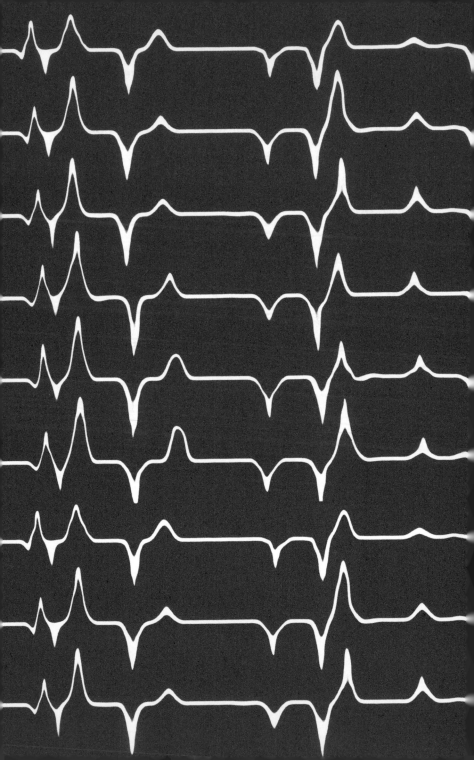